3 0116 01574256 0

Mniam, mniam! Jedzmy!

Yum! Let's Eat!

D0347731

Thando Maclaren
Illustrated by Jacqueline East

Polish translation by Jolanta Starek-Corile

Mantra Lingua

Mam na imię Maria, a moja mama gotuje makaron z sosem pomidorowym primavera. Mniam! Mój ulubiony!

I'm Maria and my mama's making pasta primavera.

Yum

Yum

Yummy!

My favourite!

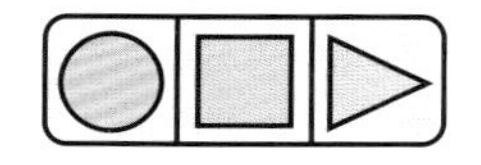

Nazywam się Gabriela. Moja rodzina uwielbia pikantne chilli z nadziewanymi plackami fajitas. Mniam! Moje ulubione!

My name's Gabriela. My family loves eating hot, spicy chilli and fajitas.

Yum

Yum

Yummy!

My favourite!

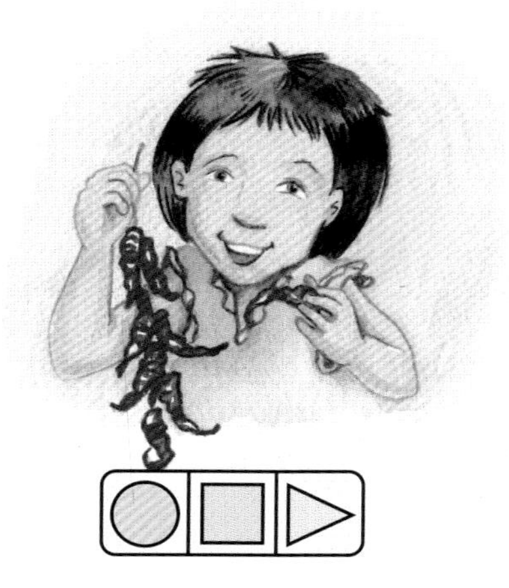

Nazywam się Kaled. Jemy tagin z kaszą kus kus i jagniną, gdy odwiedzamy dziadka.
Mniam! Mój ulubiony!

I'm Khaled. We eat couscous and lamb tagine when we visit Grandpa.

Yum
Yum
Yummy!

My favourite!

Mam na imię Agatka, a moja babcia gotuje bigos dla mnie i dla mojej siostry.
Mniam! Mój ulubiony!

My name's Agata. My granny is making her special bigos for me and my big sister.

Yum

Yum

Yummy!

My favourite!

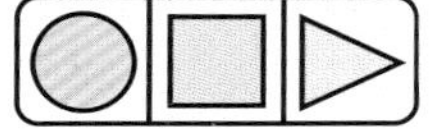

Mam na imię Dwayne i uwielbiam jeść ryż z groszkiem oraz curry z koźlim mięsem. Mniam! Moje ulubione!

I'm Dwayne and I love eating rice and peas with goat curry.

Yum

Yum

Yummy!

My favourite!

Nazywam się Yi-Min. Moja mama smaży kawałeczki kurczaka z młodą kukurydzą na sposób chiński. Mniam! Moje ulubione!

My name's Yi-Min. My mum is making stir fry with chicken and baby corn.

Yum

Yum

Yummy!

My favourite!

食飯時間

Mam na imię Abeba, a moja rodzina uwielbia jeść placek injera z pikantną potrawką zigni. Mniam! Moje ulubione!

I'm Abeba and my family loves eating injera with spicy zigni.

Yum

Yum

Yummy!

My favourite!

Nazywam się Aiko. Jem kluseczki
i sushi z moim bratem i siostrą.
Mniam! Moje ulubione!

My name's Aiko. I'm eating
noodles and sushi with my
brother and sister.

Yum
Yum
Yummy!

My favourite!

Mam na imię Priti, a moja babcia gotuje dla mnie i dla taty soczewicę dhal, placki roti oraz napój lassi z mango i jogurtem. Mniam! Moje ulubione!

I'm Priti and my granny makes dhal and roti, with mango lassi for me and daddy.

Yum

Yum

Yummy!

My favourite!

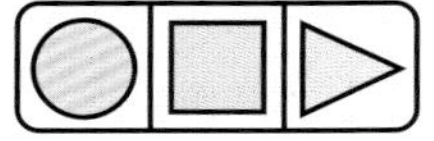

Mam na imię Charlie, a z mamą i tatą jemy potrawę z mielonej jagniny z warzywami i puree ziemniaczanym.
Mniam! Moje ulubione!

My name's Charlie. I'm having shepherd's pie with Mum and Dad.

Yum
Yum
Yummy!
My favourite!

Nazywam się Jazin. Uwielbiam jeść z tatą i moim starszym bratem nadziewane warzywa dolma. Mniam! Moje ulubione!

I'm Yasin and I love eating kebabs and dolma with Daddy and my big brother.

Yum
Yum
Yummy!

My favourite!

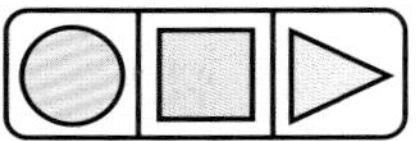

Turkey
Poland
India
Mexico
Jamaica
Japan
Italy
Morocco
Ethiopia
UK
China